D1296741

SARAH KIRSCH               ZAUBERSPRÜCHE

Langewiesche-Brandt

*Anziehung*

Nebel zieht auf, das Wetter schlägt um. Der Mond versammelt Wolken im Kreis. Das Eis auf dem See hat Risse und reibt sich. Komm über den See.

# SIEBEN HÄUTE

*Sieben Häute*

Die Zwiebel liegt weißgeschält auf dem kalten Herd
Sie leuchtet aus ihrer innersten Haut daneben das Messer
Die Zwiebel allein das Messer allein die Hausfrau
Lief weinend die Treppe hinab so hatte die Zwiebel
Ihr zugesetzt oder die Stellung der Sonne überm Nachbarhaus
Wenn sie nicht wiederkommt wenn sie nicht bald
Wiederkommt findet der Mann die Zwiebel sanft und das
    Messer beschlagen

*Ich wollte meinen König töten*

Ich wollte meinen König töten
Und wieder frei sein. Das Armband
Das er mir gab, den einen schönen Namen
Legte ich ab und warf die Worte
Weg die ich gemacht hatte: Vergleiche
Für seine Augen die Stimme die Zunge
Ich baute leergetrunkene Flaschen auf
Füllte Explosives ein – das sollte ihn
Für immer verjagen. Damit
Die Rebellion vollständig würde
Verschloß ich die Tür, ging
Unter Menschen, verbrüderte mich
In verschiedenen Häusern – doch
Die Freiheit wollte nicht groß werden
Das Ding Seele dies bourgeoise Stück
Verharrte nicht nur, wurde milder
Tanzte wenn ich den Kopf
An gegen Mauern rannte. Ich ging
Den Gerüchten nach im Land die
Gegen ihn sprachen, sammelte
Drei Bände Verfehlungen eine Mappe
Ungerechtigkeiten, selbst Lügen
Führte ich auf. Ganz zuletzt
Wollte ich ihn einfach verraten
Ich suchte ihn, den Plan zu vollenden
Küßte den andern, daß meinem
König nichts widerführe

*Schwarze Bohnen*

Nachmittags nehme ich ein Buch in die Hand
Nachmittags lege ich ein Buch aus der Hand
Nachmittags fällt mir ein es gibt Krieg
Nachmittags vergesse ich jedweden Krieg
Nachmittags mahle ich Kaffee
Nachmittags setze ich den zermahlenen Kaffee
Rückwärts zusammen schöne
Schwarze Bohnen
Nachmittags ziehe ich mich aus mich an
Erst schminke dann wasche ich mich
Singe bin stumm

*Sommerhaus*

Da flog die Gans mit langem Hals
Die Rotweinflasche übern Himmel hin
Hob sich ab als die Sonne wegschied
Spät die Tage sind lang und heiß
Ich trinke ich schneide Rosen

*Widerrede*

Ich blase meinen Atem aus
In meinen kleinen Himmel in meinem Haus
Ich erreiche nichts, nicht die Uhr
Mit schleppenden Zeigern hält an, ich
Bin wirklich verzweifelt, Argwohn
Daß er mich fallen lassen kann
Kam zwischen Auge und Lid in mir auf
Ich spür
Schon den Aufprall die Füße wie Glas
Zersplittern in roten Sandalen, die Knie
Schwanken wie Türme: wenn ein Orkan
Plötzlich losbricht! ich halt mich
An seinen Händen, er wirft
Mich ausm Haus
Jetzt blase ich meinen Atem aus
Unter natürlichem Himmel, aber tief
Hol ich die Luft wieder ein
Ich leg als ich gehn kann die Hand
Auf die Klinke, weil es ist auch meine Tür
Klinke vollführ
Widerrede, da scheppert die Uhr
Sie schlägt und stottert und klirrt mit dem Glas
Nicht daß er sich im Unrecht fühlt
Er ist blaß

*Die Nacht streckt ihre Finger aus*

Die Nacht streckt ihre Finger aus
Sie findet mich in meinem Haus
Sie setzt sich unter meinen Tisch
Sie kriecht wird groß sie windet sich

Und der Rauch schwimmt durch den Raum
Wächst zu einem schönen Baum
Den ich leicht zerstören kann –
Ich rauche einen neuen, dann

Zähl ich alle meine lieben
Freunde an den Fingern ab
Es sind zu viele Finger, die ich hab
Zu wenig Freunde sind geblieben

Streckt die Nacht die Finger aus
Findet sie mich in meinem Haus
Rauch schwimmt durch den leeren Raum
Wächst zu einem Baum

Der war vollbelaubt mit Worten
Worten, die alsbald verdorrten
Schiffchen schwimmen durch die Zweige
Die ich heut nicht mehr besteige

## Märchen im Schrank

Da ging ich hin und fand das Kraut
Ich zählte schnitt das elfte ab
Mein Löwe schlug die Lindwurmhaut
Verließ mit IHR die Drachenstadt
Vögelchen singt Vögelchen springt
Für das ich ihn bekommen hatt

Liebe läuft sehr weit. Zum Schloß
Wo Hochzeit ist ob du noch Löwe bist?
Ich geb meinen vierfach geflochtenen Zopf
Dafür erlaubt die Blonde mir
Bei dir zu sein du hörst nur ein
Löweneckerchen singen Löweneckerchen schrein

Anderntags du ein Messerchen
Im Leib der Drachen-

Frau — ich konnte sie begierig machen
Auf ein Paar Schuh so schleifenversehn
Daß sich die Schuster nicht drauf verstehn

Barfuß in seine Kammer er ruhte
Sahs schimmern sahs rötlich mein geschnittenes Haar
Bog mich sich an bis ich ihm ähnlich war
Verging mit mir flog mit ihr fort
Auf dem Vogel Greif sie leben dort
Wo kein Mensch ist

Abends wenn die Sonne zu versinken droht
Kämmt sie ihn ihre Haare sind rot

*Keiner hat mich verlassen*

Keiner hat mich verlassen
Keiner ein Haus mir gezeigt
Keiner einen Stein aufgehoben
Erschlagen wollte mich keiner
Alle reden mir zu

*Probe*

So, sagte der Alte mit den geflochtenen Augenbrauen
Wer von euch beiden als erste trockene Hände hat
Soll ihn bekommen! Und tauchte unsere Hände alsbald
In den glasklaren Fluß ein, zu gleicher Zeit. Sie hielt
Die ihren gespreizt in die Sonne und waren kleiner als meine.
Ich schrie: Ich will ihn nicht! Ich schrie und schleuderte
Die Hände von unten nach oben, daß die Gelenke knackten
Die Tropfen flohen und heiß warn die Finger. Er bog sich
    vor Lachen.

*Salome*

Das Riesenrad dreht sich nicht, es ist Nacht.
Der Wind bewegt die Gondeln, in der obersten
Auf einer Holzbank die Tänzerin, die Schuhe
Zertanzt. Sie ist achtzehn mit allen Diplomen
Seit sie den Roten liebt den mit der weißen Haut
Er über die Welt spricht
Tanzt sie wie eine Feder.

Der Rote wiegelt die Leute auf
Da steht er am Fenster zählt Flugblätter ab
Setzt sich aufs Fahrrad rollt über das Pflaster.
Das war das Attentat.
Der Rote hat eine Kugel im Kopf und redet
Irre. Das Riesenrad dreht sich nicht

Salome schaukelt
Kommt nicht aus der Gondel, nicht diese Nacht
Salome hat sich
Eingeschlossen. Später
Muß sie gehn und fordert den Kopf.

Sie tanzt wie eine Feder
Leicht gebogen, den Kopf zurück, auf den Zehn.

*Mai*

Auf dem Dach der großen Klinik
Sitzen feiertags die Kranken
In gestreiften Bademänteln
Legen Finger auf die Wunden
Rauchen eine Zigarette

Auf der Erde ist das Gras grün
Gelbe Blumen sind darin
Und die weißen Küchenfrauen
Ziehen Karren mit Kartoffeln
Fleisch Kompott Gemüse. Wieder

Kommt ein Krankenwagen
Mit der Fahne und der schrillen
Stimme die um Eile schreit
Ach ich seh dich blütenblaß
Neben deinem Auto liegen

*Elegie I*

Ich bin ein Schatte geworden im Sommer.
Die Personen-Gesundheits-Waage
Zeigt mich nicht an. Orpheus
Begleitet Frau Callas.

*Elegie 2*

Ich bin der schöne Vogel Phönix
Schüttle mich am Morgen, sage
Pfeif drauf! bekomme sie, meine Seele
Gänseblümchenweiß
Ich bin
Der schöne Vogel Phönix
Aber durch das
Flieg ich nicht wieder

*Die Engel*

Der Himmel auf tönernen Füßen
Wir fahren darunter in kleinen Autos
Die Brücken
Fangen ihn ab eine Zeit lang
Wird er blau sein, Vögel
Und Nacht und Tag und manchmal
Ein Nordlicht in fremden Breiten
Einer wird, in verwirrenden Farben, ihn sehn
Wenn ihm gut oder nicht ist und der Mond und die Sonne
Hineingeschossene Löcher
Werden kühlen wärmen bis dann
Die letzte Stunde gekommen ist
Und die Engel mit eiskalten Augen
Die großen Blätter auf denen Geschichte verzeichnet ist
Einrollen ein neues
Licht anzünden

*Trennung*

Jeder trinkt seinen Whisky für sich
«Three Swallows» er / «Four Roses» ich

# LICHTBILDER

*I*

*Kirche in Mzcheta.* Sie ist asymmetrisch; die Ornamente gleichen sich nicht. Wo ein Pferd springen müßte, weidet ein Stier; hier Weinlaub, da Rosen. Ein Bogen ist breiter und niedriger als der vorige; das Dach nicht grün und nicht braun:
Abnahme durch den Bischof. Diese Schönheit!
Soll bleiben: unwiederholbar: sagte er
Und ließ dem Meister abhaun sie, die Hand
Ist sichtbar, nachgebildet in Stein.

2

*Haustiere im Gebirge.* Die Bäche springen wild von den Bergen, sammeln sich im Flußbett, das ist breiter als die Chaussee und voller Geröll, Grünes wächst, das Wasser füllt es nicht aus. Auf der Chaussee gehn die Tiere, kleine knochige Kühe, ein schwarzes Schwein, ein weißes mit einer Mähne bespringt es rennt auf zwei Beinen, die Schafe wie Steine, ein brauner Esel. Oder sie weiden im Flußbett umgehen die Flüßchen darin. Vor einer neuen Brücke steht ein Pferd, ich sehe die Adern am Hals.

3

*Das Pferd an der Quelle.* Es stand vor dem Wagen mit Bäumchen voll Laub / groß wie ein Esel. Der Bauer trank / es schüttelte die Mähne.

4

*Kachetien.* Die Berge haben ein helles Waldfell, alte Festungen sitzen auf, später laufen die Berge zum Kaukasus über.

Das Dorf liegt im Tal, auf einem Hügel der Friedhof. Silberbronzierte Gitter umgeben die Gräber. Manche haben ein Dach, zwei einen gedeckten Tisch. Vor dem Friedhof sind Lebensbäume gepflanzt, groß wie ein Mensch, tragen Schilder mit Namen. 4000 Bäume, 5000 Männer von 9000 kehrten zurück aus dem Krieg. Anfang Mai ist der Wald voller Blumen, Schwertlilien und Rosen, die Menschen spazieren bunt durch die Hügel, Händler sind da mit Zuckerfigürchen und Limonade, man kann das Glücksrad drehn.

Schattenspendend hat uns die Veranda im Maul eine große Gesellschaft, wir sehn den Kaukasus, im Gras liegt das Pelzchen des Hammels. Kräuter und Zwiebeln, Schaschlik alter Wein, die Gastgeber singen. Die Stimmen umschlingen sich, der Kolchosleiter weiß die schönsten Figuren. Alte Psalmen erreichen die Lebensbäume.

5

*Das Fußballspiel.* Die Akazien blühen die Stadt ist voller Duft die Straßen sind leer, Fußball in Radio und Fernsehen ich hörs aus den Fenstern. Die Taxifahrer rufen sich zu: Nr. 4 ein Mann aus Tbilissi schoß das Tor. Sie überfuhrn einen Hund. Zwei Stunden schrie er im Park.

6

*Alte Kirche am Tanu.* Der Tanu wirft sich kopfüber ins
Bett das die Erde gemacht hat, schäumt und bewegt die
Steine. An seinen Ufern wächst Wein, ein Baum mit sam-
tigen Blättern.
Bäurinnen gehen und Pferde
Über den Fluß, was außen ist, innen:
Bäurinnen und Pferde
Sind in die Steine der Kirche gegraben.


7

*Das Landhaus.* Der kleine Ort Saguramo steht auf dem
Tisch, bewaldete Berge schließen ihn ein. Hinter einem
silbern gestrichenen Tor blüht Flieder. Im Park stehn zwei
Brunnen, ein Denkmal aus Gips. Vor dem Haus wartet ein
Hund mit lehmiger Schnauze, das Haus ist ein Landhaus,
die schönen troddelbehangenen Stühle knarren auf dem
Balkon, auf dem Schreibtisch tickt eine Uhr, ihr Zifferblatt
umschließt roter Samt in Form eines Herzens. Das Ruhe-
bett die Uhr der schwarze Mantel die Jagdtasche das Landhaus / gehören dem Dichter Tschawchawadse / von Weißen /
1907 erschossen sagte man gestern.


8

*Mittag.* Das Meer reckt sich die Steine knirschen wenn die
Welle zurückfällt, draußen fliegt ein Schiff voller Segel du
solltest draufstehn, ich winke, das Meer macht Stufen reißt
rote Algen empor, man muß sehr vorsichtig sein auf der
Treppe. Leicht rutscht man auf einem Fisch.

## Klosterruine Dshwari

Die braunen Mönche gehn im Gänsemarsch
Sie sind sehr alt, nur ihre Stimmen
Sind kunstvoll auf ein Band gebracht
Sie psalmodiern, ein Knopfdruck macht sie stille.

Da harren sie, die Füße starr erhoben
Bis ihren Mund der Bauer wieder singen läßt
Die Hände in die Ärmel eingeschoben
Gehn sie der Schwalbe durch das achte Nest

Bis Abend kommt, die Zeit des Weins
Sie schlafen in der vollen Spule
Der Abt auf seinem hohen Stuhle
Zählt die Kopeken in die Höhlung eines Steins.

*Im Kreml noch Licht*

Das ist Lenins weiße Katze
Jede Nacht macht sie Patrouille
Ihre ernsten grünen Augen
Sehen pünktlich aus dem Fenster

Sie frißt ungeratnes Schreibwerk
Stößt die Tinte mit der Pfote
Um daß nichts zu lesen ist:
Mascha kann durch alle Türen

Und wenn Posten davor stehen
Kneift sie ihre Augen zu
Steuert mit dem Sichelschwanz
Sicher durch die schwarzen Stiefel

Zeigt das Glockenspiel den Tag an
Führt ihr Weg zur Bibliothek
Sie verkneift ein spitzes Niesen
Sitzt auf ihrem Lieblingsbuch

Und erinnert sich der Zeiten
Wie der eignen Pfotenspuren
Als ihr Herr sie leis vermahnte
Und ein neues Blatt anfing

*Moskauer Tag*

Punkt zwölf wurden in Puschkins Rücken die Fontänen
   gezündet
Ich saß in der Sonne und rauchte und die Spatzen und Tauben
Und sonstigen Sing-Vögel die gerade gebadet hatten
Wurden in die Bäume geschossen. Neben mir ein Bauer im
   schwarzen Mantel
Las allen Ernstes lange Verse. Eine Großmutter kam
Über den Platz mit einem gebündelten Säugling. Die
   größeren Leute
Gingen und redeten und saßen und lasen und waren so
   zu Hause daß es mir auffiel:
Ich kannte nur mich und das war zu wenig. Saß da
Mit mir auf der Bank ich in der Mitte ich rechts von mir
Und links auch noch alles war frei und besetzt da beschloß ich
Mit mir nicht zu reden. Mir tat nichts weh ich wünschte
   dich nicht ich
Saß lediglich und die Sonne
Beschien mich wie eine x-beliebige Stadt Wiese Platane.
   Alle Fontänen
Waren sichtlich betrunken sie schwankten im Wind wie
   Fontänen.

*Moskauer Morgen*

Nun dämmert der Morgen über den Patriarchenteichen.
Dort verschüttete Anjuschka das Öl ich eine Träne
Der Kater lachte beträchtlich. Ich eilte
Auf gebogenen Leitern den Himmel empor
Dicht an den Mond-Leib, ach der mich anzieht
Ist nicht wo ich bin. Lebt er hinter den Fenstern
Zu ebener Erde? Margarita kommt Margarita kommt
Die Beine flogen am Fenster vorüber. Margarita wärmt
Margarita wärmt den Ofen mit ihren Kleidern.
Wenn sie einmal gekommen ist, geht sie nicht wieder. Sie
Wird lieber böse und pfeift auf den Himmel als
Fromm und allein ohne den Einen zu leben. Was
Sie auch tut – jetzt hängt sie
Federgeschmückten Leibes auf meiner gebogenen Leiter
Kinderspielplatzklettergerüst an den Teichen. Wir
Wollen dich sehen. Du in der Mandorla
Meiner ausgestarrten Augen ich hänge an keinem Finger
Kannst jeden haben, unter mir wedelt der Kater
Ein deutscher Schäferhund ein sibirischer Löwe die Miliz
Na was soll das fragen sie mich

*Angeln mit Sascha*

Es wäre gut sagte Sascha wir deckten uns
Heute mit Regenwürmern ein morgen
Den Bus zum Kanal ein Säckchen Proviant
Das Angelzeug Klappstühle reichlichen Tabak ich sagte
Gesagt getan wir verlorn auf der Fahrt
Einen Kessel brachen durchs Schilf beschirmten die Augen
Legten Gepäck ab ich seufzte die Sonne
Kroch aus dem Fluß dieser Landstrich
Weist nicht ein Meer auf

Komm unter die Weide
Du nimm den roten Stuhl
Die Köder in den Schatten
Zieh Gummistiefel an

Es klatschte beidseitig zahlreiche Angeln im lehmigen Wasser
Da und dort dampft ein Kesselchen Paprikaschoten
Würden drin schwimmen und später die jetzt noch waren
Die Fische da taucht schon die Pose ich reiße umsonst

Gib auf die Schnur acht
Ein Schiff dampft am Ufer lang
Er hat schöne Hände
Die Lebenslinie ohne Knick

Es kam wie erwartet Sascha hat Glück fängt was und ich
Diese lachhaften Fischchen deren Namen
Man nicht zu sagen wagt ob ich mal blinkre

Zu früh im Jahr weiß ich natürlich die Fische auch
Das ist meine Chance wieder das Motorschiff
Fährt seine Schnur über der Haken ist hin komm
Ich mache die Schlingen zärtliche Knoten Sascha

Deine Hand ist zu groß
Beiß mal die Bleikügelchen fest
Ich kann doch was siehst du
Ich lege die zweite Angel aus

Dies elende Schiff was kommt es
Nicht die Mitte durch wonach schaun sie die Männer da
Schleppt was durchs Wasser wolln die was fangen
Er ärgert sich wieder eine neue Genossenschaft
Schade daß wir keinen Kessel haben nebenan
Geht die Kelle schwer durch die Suppe Helles
Fließt aus der Flasche nun stoppt das Schiff zieht was
Dann ein Schlauchboot von Bord es kriegt
Ein Netz an Land die Angler heben die Köpfe

Roll mal die Schnur ein
Das ist gemein ich hab keine Hand frei
Über mir rechts blaue Iris links auch
Sitzen auf kleinen Korallen

Na dann ahoi Sascha das hättest du auch nicht gedacht
Ein voreiliger Kuß wir trauern um keinen Kessel so ein Unglück
Die haben ein Mädchen im Netz das stundenlang tot ist
Die Feuerchen rutschen zusammen die Münder
Der Fernen bewegen sich sie liegt jetzt am Strand

Das Schlauchboot das Motorschiff alles entfernt sich
Die Feuer werden wieder gefüttert

Er hat eine Angel fertig
Er hat eine Zigarette gedreht
Gibt sie mir angebrannt
Ich versuchs mal mit Kugeln aus Brot

Gott zum Gruß schöner Fisch großschuppiger
Aber jetzt hätte ich gern Pech gehabt du siehst
Etwas zu groß aus vollgefressen ein kleiner Kaufmann
Der Haken sitzt tief im Maul ich kann das allein halt
Mal den Kescher das ist der Schwerste sagt Sascha und

So was passiert eben
Neben Ophelia am Strand
Ein Mütterchen unterm Strohhut
Bewacht sie und strickt

Das Wasser klatscht hoch wird bewegter
Ein kleiner Dampfer Motorboote aus der Mitte
Spein Wellen die Posen treiben ins Weite
Er hält meine Angel sagt was von Täubchen
Wen meint er von uns rings gibts nur zwei Mädchen die eine
    ist tot

Wir können ja gehen
Es ist erst halb elf
Das Wasser will sein Opfer zurück
Die Alte schlägt einen Pfahl davor

Und gerade sind die Suppen vollendet die Nachbarn probiern
    sie
Streun weißen Pfeffer in Kessel und Büchsen das Feuer geht ein
Sie essen wir essen aus unseren Säckchen ich fürchte mich nicht
Trinke auf Sascha er trinkt auf mich wir haben ein Grammo-
    phon

Viele Möglichkeiten
Und die am Strand
Hat ein Tuch auf dem Gesicht
Und wird geholt

Auf eine Trage gerollt Sascha zieht das Hemd aus er legt sich
    drauf
Er ist müde er steht wieder auf er legt sich ins Gras
Das Hemd liegt allein ich bin auf dem Hemd ich bin müde
Hinter geschlossenen Lidern wie auf der Leinwand
Eines zweier kleiner Kinderkinos Kindersonnen
Höre unsere Fische im Kescher ihn ein Streichholz kaun
Es ist ein früher Herbsttag im vergangenen Sommer
Ich werde sehr alt werden und Sascha vergessen

## Mauer in Prag

Als die Inflation ins Land kam, die Fabriken
– Wenig gab es damals in der Stadt –
Ihre Tore vor den Leuten schlossen
Sprach ein Mann: Baut eine Mauer!

Sanft soll sie den Berg erklimmen und voll Schlichtheit
Keine Augenweide, einfach dasein
Nehmt nur Steine, Kraft, die Wasserwaage
Knurrt nicht über kleinen Lohn!

Völlig unnütz wuchs das weiße Bauwerk
Schützte nichts, war zu umgehn
Und der Lohn kaum zählbar (abzog
Man den Preis für Baugrund und Zement)
Warum sollten diese Männer schwitzen, wenn das Geld
Ohne Arbeit mehr gewesen wär?

Eine Mondnacht vor Jahrzehnten sah vollendet
Die sie von da die Hungermauer nannten –
Wenn das Wasser lautlos übers Wehr fällt
Geht ein langer schwarzer Schatten
Pfeifend auf dem First der Steine

*Lithographie*

Die Pforte war gebogen und wir kamen durch
Nachdem wir einen Mann mit weißen Haaren
Der noch nicht alt war, Geld bezahlten und er gab
Ein vogelstimmig Fräulein uns zur Seite

Die Alte flog voraus, nahm Weg durch Steine
Die uns wie Zähne eines Tiers erschienen
Wir wähnten einzugehn ins Maul des Wales
Der Jonas zu verschlingen einst geschickt war

Es waren Steine zum Gedächtnis alter Juden
Gewaltlos starben sie in dieser Stadt
Und sanken schichtweis in die Erde, weil der Platz
Gering war und von Häusern eingeschlossen

Nur große Bäume kamen auf an dieser Stelle
Sie standen blattlos in den dünnen Himmel
Doch schienen sie nicht schlecht im Saft zu sein

Der eine wuchs dem Rabbi aus dem Kopf
Bis seine Wurzeln ihn verlassen mußten
Weil nichts mehr war, die Zweige zu ernähren

Das Vogelfräulein klappte mit dem Schnabel
Sie stopfte uns noch Jahre in die Ohren
Bevor sie aufflog im Geäst verschwand

Wir laufen Zickzack durch die schwarzen Male
Damit wir draußen gegenwärtig sind
Dies ist kein Ort, wir waren auf Papier
Vorher, auf Stein, gezeichnet und geätzt.

*Mittelmeer*

Der alte Dichter war da
Er erzählte vom Thunfischfang wenn
Die übermanngroßen Tiere
Ins Netz getrieben werden wie sie toben
Der Leitfisch bringt alle und die Schuppen
Glänzen wie rostfreier Stahl
Er aß Kirschkuchen
Hatte die Welt im Blick
Sicher erinnert er sich
Wie die Nacht da schmeckte
Seine Augen warn blauer als sonst
Und ich hörte die Fischer singen
Die dem Thun Haken in die Köpfe schlagen
Eine Handbreit vom Auge
Einmal sagte er haben die großen Tiere
Einen Mann fast aus dem Boot gehoben
Die Boote waren tiefschwarz
Und acht Meter lang

*Der Maler Ebert*

Und dann gingen wir noch
Den Maler Ebert am Stadtrand besuchen
Da stellten wir fest: Frühjahr war: den Wiesen am Fluß
Wuchs schon was und die Sträucher
Beblätterten sich und Vögel
Rieselten raus. Wo er wohnt
Ist die Saale sanft gebogen und die Schwärze
Überspannt mit zierlicher Wölbung ein Brückchen.
Im breiten Treppenhaus der Geruch alter Häuser
Ohne Wasserklosett aber man fühlt sich geborgen
Schon sahn wir die Bilder schimmern aus weißen Rahmen
Klopften da sagte die Nachbarin
Er wäre weggegangen und wenn er ginge
Zumal seine Frau beim Frisör sei käme er
Vor Anbruch der Nacht nicht. Wir fragten
Nach seinen Lieblingskneipen
Sahen in jede steckten den Kopf
Aus der Sonne in dämmrige Bierstuben
Kleinen rauchigen Inseln die Flaschen
Klingelten leise — ein Wirt
Hatte ihn gehn sehn empfahl uns
An den nächsten Wirt in der Straße
Aber nirgends im Mohren nicht nicht in der
Gosenschänke. Und dann fing die Stadt an
Wir konnten ihn
Nicht weiter verfolgen der Baum der Kneipen
Verzweigte sich mächtig

*In einem abgelegnen Holzhaus zwischen Rosen*
*Als Sommerhitze abgelöst vom Regen ward*
*Erschien ein Traumbild mir. Erst waren es zwei Worte*
*Durch brüderliches und gehalten oder oder?*
*Es wuchs ein großes Bild daraus. Die karge Landschaft*
*Schien gleich vor meiner Tür zu liegen und ich sah*
*Im Hintergrunde Ahornbäume, vorn im Bild*

*Playboy und Cowboy.*

Dastehen sie und könnten Brüder sein
Freunde nie: zu tief der sie trennt, der Abgrund.
Der Eine grad vom Pferderücken abgestiegen
Vom Schweiß das Hemd gestärkt, der Mund
Sehr schmal. Der Andre kam aus einer Stadt gefahren
Und lehnt nun an der Flanke seines Wagens. Schnell
Gehn beide Männer mit verschiednen Pferdestärken
Der Erde übern kahlgewordnen Pelz.

Sie tragen Jeans und Jackets Einer wie der Andre
Doch die des schönen Mannes auf der rechten Seite
Sind reich verziert. So lenkt der Latz der Hose
Von Silberborten eingefaßt, den Blick
(O Kunst des Malers) auf die Leibesmitte.
Wahrscheinlich ist der Junge unterm Stoff
Mit Silber ganz beschlagen. Der vom Gebirge kam
Womöglich von der gleichen Frau gesäugt
Hat Müh, die Kleidung nicht zerfalln zu lassen:
Dort, wo die Knie sich zeigen, ist das Blau
Der Jeans bewölkt geworden, und die Brust

Schoß längst die Kupferknöpfe weg
Beim Lachse-Angeln, in ein ödes Canon oder
Dem Pferd, das ihm verwachsen ist, ins Ohr.
Weil nun die äußere Erscheinung
Noch nicht den Menschen macht, nicht, was er denkt und tut
Ihm von der Nase abzusehen ist, so hat der Maler
Den beiden Jungs ein Medaillon gegeben:

Die Schutzpatronin des Geschmückten, blond und gut frisiert
In ein Korsett gezwängt, raucht lächelnd Ringe
Der Cowboy trägt sein Zeichen mehr verborgen
Nur Dürftigkeit des Hemds läßt die erscheinen
Die braun ist, ohne Silberspangen, älter.
Auf ihrer Schulter sitzt ein wilder Vogel.

Doch beide Männer reichen sich die Hände –
Was ist es, das die beiden noch verbindet?
Des Einen Arbeit ist des Andern Müßiggang!
So hörte ich im Traum mich fragen: ob vielleicht
Die Welt des Geldes sie gespalten hat, die beide hassen
Und nicht mehr tauschen läßt
Pferd gegen Ford; ein jeder jedes wie vor Zeiten
Als sie an gleicher Brust geruht? Soll ich den Maler tadeln?
Hat er die Wirklichkeit gemalt? Amerika?

## Rundreise

Mir war ich war
— Kurzer Rasen Schnurobst —
Auf einem englischen Parkplatz
Auf einer preußischen Postmeilensäule
Sitzend in blue jeans like a gipsy
Fingernägel maßlos lange keine Schere
Und alle Leute
Die ich seit Jahren nicht sehen konnte
Warn nicht mehr da nur ein Ersatzpferd
Ich trug eine Frisur diesen Tag
Wie ehmals Johann Sebastian
Ich war einfach würdig und es ging
Mir schon besser ich stieg ab
Am Rhein die Parfümfabrik sehen
Niemand da aber Gallonen
Voll schöner Düfte ich nahm ein Bad
Das vertrugen die Locken schlecht des-
Halb einen Hut nun wollte ich weinen:
Gar keine Menschen drei hatte ich immer gemocht
Nur dieses Pferd noch da zog ich
Lieber in den Dom orgelspielen
Die Luft kam elektrisch alles OK
Ein fester Gott ist eine Burg auch ich bin
Ein Schwede wie du — aber weiter wie
Du mußt irgendwo zu finden sein Herr Bellman
Ich seh im Norden die Wirtschaften durch
— Jawohl schläft hier inmitten der Glasgefäße
Hat WINSTON aber kein Feuer nur

Der Brotröster geht hier: he auf auf!
Ich die Welt braucht dich — machen wir Spaß
Brennen einem Wasser den Faden ab verdampfen
Dieses Verlagshaus hab Drops im Schuh
Später müssen wir einbrechen gehn
Sind darauf angewiesen mach dir nichts
Draus —

*Der Droste würde ich gern Wasser reichen*

*für Helga*

Der Droste würde ich gern Wasser reichen
In alte Spiegel mit ihr sehen, Vögel
Nennen, wir richten unsre Brillen
Auf Felder und Holunderbüsche, gehn
Glucksend übers Moor, der Kiebitz balzt
Ach, würd ich sagen, Ihr Lewin –
Schnaubt nicht schon ein Pferd?

Die Locke etwas leichter – und wir laufen
Den Kiesweg, ich die Spätgeborne
Hätte mit Skandalen aufgewartet – am Spinett
Das kostbar in der Halle steht
Spielen wir vierhändig Reiterlieder oder
Das Verbotne von Villon
Der Mond geht auf – wir sind allein

Der Gärtner zeigt uns Angelwerfen
Bis Lewin in seiner Kutsche ankommt
Schenkt uns Zeitungsfahnen, Schnäpse
Gießen wir in unsre Kehlen, lesen
Beide lieben wir den Kühnen, seine Augen
Sind wie grüne Schattenteiche, wir verstehen
Uns jetzt gründlich auf das Handwerk Fischen

## Besinnung

Was bin ich für ein vollkommener weißgesichtiger Clown
Am Anfang war meine Natur sorglos und fröhlich
Aber was ich gesehen habe zog mir den Mund
In Richtung der Füße

Erst glaubte ich das Eine dann an das Andere
Nun schneide ich mein Haar nicht mehr und horche
Wie dir und mir die Nägel wachsen, Hühnchen
Die Daunen ausgehn, sie Fett gewinnen

\*

Ich sage was ich gesehen habe merkwürdig genug
Die Leute verkennen es geht um ernsthafte Dinge
Wie komisch sagen sie erzähl ich ein Unglück
Wenn sie lachen müßten, erschrecken sie

Nur Matrosen und Schofföre nicken bei meiner Rede
Die in den blauen Jacken können alles mit Beispielen belegen
Haben die Koordinaten im Kopf, und
Was man trank vorher und nachher und dann
Schweigen sie

# KATZENKOPFPFLASTER

*Katzenkopfpflaster*

Man sieht es nicht, es liegt unterm Schnee. Der Schnee ist
frisch und glänzt in der Sonne. Steinbuckel stoßen gegen
die Sohlen. Der Fuß hat Halt, wenn er gleichzeitig auf
zwei Steine trifft. Wäre ich auf der Straße mit dem Katzenkopfpflaster, ich begänne zu traben. Mein Haar schlägt die
Flügel. Ich trage Schellen hinter den Ohren. Bevor ich
stürze, bin ich weiter.

## Don Juan kommt am Vormittag

Don Juan kommt am Vormittag
So schrieb er im Telegramm was
Mich nachdenken ließ ich hatte den Mond
Eingeplant und Fontänen nun blieb
Nicht viel Zeit nicht mal die Augen
Größer malen die Füße nicht waschen
Ich stand wo sie anfängt die Stadt sah ihn
Im wehenden Mantel auf einem Rennrad
Den weißen Schal von der Schulter flattern
Herannahn die Lippen zersprungen und tief
Lagen die Augen ich fragte ihn
Weshalb er so früh sei sicher später
Ein Rendezvous mit einer Schönheit
Achwasdummheit er stellte das Rad
Schräg in die Luft er nahm den Hut ab
Legte uns beide ins Gras das rings
Üppig zu werden begann zog Vögel
Aus Metall auf die fingen zu singen
An daß es schallte Variationen
Über ein Thema von Mozart ich kenn das
Sagte er und alle Platten-
Spielersysteme Schönberg und
Ich werd dich jetzt das wird aber gut sein

*Rufformel*

Phöbus rotkrachende Wolkenwand
Schwimm
Ihm unters Lid vermenge dich
Mit meinen Haaren
Binden ihn daß er nicht weiß
Ob Montag ob Freitag ist und
Welches Jahrhundert ob er Ovid
Gelesen oder gesehen hat ob ich
Sein Löffel seine Frau bin oder
Nur so ein Wolkentier
Quer übern Himmel

## Klagruf

Weh mein schneeweißer Traber
Mit den Steinkohlenaugen
Der perlendurchflochtenen Mähne
Den sehr weichen Nüstern
Dem schöngewaltigen Schatten
Ging durch! Lief
Drei Abende weit war nicht zu bewegen
Heimzukehren. Nahm das Heu nicht
Wahllos fraß er die Spreu
Ich dachte ich sterbe so fror ich

*The Bird*

Ist es einerlei was daraus wird
Fliegt lediglich am Haus vorbei der Amsel
Die Amsel kann sich nit drum kümmern sie
Mit ihr in eure Kammer gehst Eu Gott!
Ein üppig Mahl verzehrest und darauf
Den Blumentöpfen deines Eheweibs
Du mich längst vergessen hast und bei
Ist es einerlei ob du mich liebst ob
Die Amsel fliegt am Haus vorbei der Amsel

*Fluchformel*

Frost Regen und Schlamm über die Füße dir
Zarthäutiger, Eis dir zwischen die Zehen mit denen ich
Einstmals die Finger verflocht, du schiebst sie
Nicht mir untern Tisch
Deine Poren
Sind völlig verstopft und verkommen: vernehmen
Die einfachsten Dinge nicht mehr.

*Ruf- und Fluchformel*

Eu Regen Schnee Gewitter Hagelschlangen
Steigt aus des Meeres bodenloser Brut
Und haltet euch in Lüften eng umfangen
Bis er auf meinem roten Sofa ruht.

Wenn er den Stab hebt, dürft ihr draußen toben
Je mehr je lieber, schließet mir das Haus
Und schlagt und dreht euch, ändert Unten, Oben
Der Hof sieht wie ein Jahrmarkt aus

Dieweil wir uns in unsrer Lieb erproben.

*Nachricht aus Lesbos*

Ich weiche ab und kann mich den Gesetzen
Die hierorts walten länger nicht ergeben:
Durch einen Zufall oder starren Regen
Trat Wandlung ein in meinen grauen Zellen
Ich kann nicht wie die Schwestern wollen leben.

Nicht liebe ich das Nichts das bei uns herrscht
Ich sah den Ast gehalten mich zu halten
An anderes Geschlecht ich lieb hinfort
Die runden Wangen nicht wie ehegestern
Nachts ruht ein Bärtiger auf meinem Bett.

Und wenn die Schwestern erst entdecken werden
Daß ich leibhaft bin der Taten meines Nachbilds
Täterin und ich nicht meine Schranke
Muß Feuer mich verzehren und verberg ichs
Verrät mich bald die Plumpheit meines Leibes.

*Grünes Land*

Wenn der Kuckuck ruft den hörst du nicht bin ich weit
Grünes grünes Land zwischen mir und der Stadt
Ich zieh ins Haus zwischen die Arme des Flusses

    Aber was tu ich ich fang keinen Fisch
    Verstehe die Stimmen der Krähen nicht

Wiesen Koppel zu Türmen gehaunes Gras Schonungen der
   Hochwald
Ich sehe gebogene weidende Pferde sie sind gar nicht da
Nur einmal ein Kopf aus dem Stallfenster

    Ach und ich lief auf beuligen Wegen
    Fort aus der Stadt

Ich rauche im Regen traf tagelang keinen Menschen
Nur ein Alter sah übern Zaun hatte Zeitung gelesen
Wenns losgeht sagte er ich habe einen eigenen Brunnen

    Ich nichts aber auf diesem Land
    Bau ich dir vierblättrigen Klee

*Das Grundstück*

Sonntags kommen die Mädchen mit ihren Kindern zum
    Grundstück
Das sie vor Jahren billig erwarben. Noch immer kein Geld für
Zäune und festere Türen; so gehn sie und sehen und zählen
Was da verschwand: die Pumpe, die Tassen, die flauschige
    Decke —
Ach, es ist schon zu spüren, wenn man allein steht und selber
Nicht mit Hobel und Säge umgehen kann, und die Freunde
Können sie selten bewegen hierher, denn es gibt nichts
Was sie verlockte, der Sand: der lädt wohl die Mädchen
Ein, sich ohne Bikini zu sonnen, die winzigen Kinder
Pausenlos fordern sie Dies und Das von den Müttern und
    tollen
Immer dazwischen. Das wissen die Männer und sagen:
Besser, man kommt in der Woche. — Man klingelt um sechs
    an der Wohnung
Noch eine Stunde, dann gehts. — So sehn sich die Mädchen
Sonntag für Sonntag den Grund abgehn, das Gras und die
    Kiefern
Liebevoll streifend; sie zählen und messen und rechnen:
Eintausend Mark für den Zaun, wer setzt ihn? Etwa die
    Spechte
Meisen und Häher? Und naht zwischen Kiefern die Alte
Die man, die Rente ist klein, mit Wurst und Pudding
    bewirtet?
Die man, gut wie man ist, herbergt: und hat nun drei
    Wünsche

Frei? wie im Märchen würden sie leben mit Kindern
Und Geliebten in Datschen im Sommer und sorglos.
So aber müssen die Mädchen am Abend, nachdem sie die
    Sonne
Etwas gebräunt hat, entfliehen mit Kindern und Taschen
Denn es wäre ein Wagnis, die Nacht hier alleine zu schlafen
Fremde könnten die zaunlose Festung erstürmen, die Freunde
Glaubten den Schönen die Unschuld nicht und verzeihn nicht.
Die Kinder sind müde und zwitschern wie Vögel. Die Frauen
Lachen.

*Selbstmord*

Aber bei der lag es in der Familie
Sie wohnten früher am Moor
Der Großmutter fiel regelmäßig
Ein Bild von der Wand wenn wieder
Ein Sohn gefallen war

*Landpost*

Eine Blutbuche an einem Tage belaubt spät im Frühling.
Im Sommer die Wiese versengt
Leinenschuhe nicht weiß, Gummigeruch
Die Wiese blüht kniehoch, Schafgarbe Kümmel.
So schreib ich den Brief:
«Allerliebster! Als ich mich von Dir trennen wollte»
Auf der Straße die alten Frauen:
«Mein rechter Fuß ist größer geworden als der linke!»
«Bei mir auch.» – «Bei mir auch.»
«Als ich mich von Dir trennen wollte
Brach gleich ein Waldbrand aus.
In dem Holzhaus drückte einer die Fenster ein, stahl
Deine Schuhe. Ich bin vom Fahrrad gefallen.»
Morgen wasche ich meine Haare.
Der Wind legt sich.
Der letzte Autobus.
Meine Füße im Kartoffelfeld.
Der Mond, das weiße Ei.

*Der September*

Der Nebel zerstört die Farbe der Blumen
Und netzt sie, daß sie sich hinlegen
Das goldne Kartoffelkraut
Verbirgt seine Nester nicht länger
Der Landwirt knurrt: Welche Obstschwemme

*Ode*

Ach meine Reuse sie fängt
Den schwatzenden Fisch mit der Hand und löst
Ihm lachend die Kiemen und hört
Was er so sagt von ewiger Liebe

Und die Traktoren! Sie schaukeln
Ein gläsernes Haus auf den Rädern
Und säen und ernten die Sonne
Brennet und bräunt
Den Kühler den pfeifenden Gott

Die Silage. Die dampfenden Kühe
Fressen im Winter
Kleine Sonnen
Hausmütterlich aufbewahrt

*Dritter Monat*

Stieglitz, roter Kindervogel
Läßt sich auf die Disteln nieder
Greift die Beeren von den Hecken
Reicht sie her, erinnert mich
Daß aus Beeren Blüten werden.

Wenn er weiterfliegt dem See zu
Dessen Ufer mit den Bäumen
Gras und Laubwerk bald verlieren
Pfeift er bösen Hexenringen
Dürren Pilzen auf die

Hüte. Und ich werd Gehäuse.
Stieglitz fürchtet nicht den Schnee.

*Der Flug*

Wir schwammen vertraulich im Häusermeer, tauchten
Durch Tunnel in Höfe, kein Platz für ein Sternbild
Ohne Deichsel der Wagen, da schwammen wir lieber
Hinter der Straßenbahn über der U-Bahn aufs Flachdach
Gut für die Liebe, wie Blasen die Seufzer der Menschen
Ich ließ dich: mir auf den Rücken, wir schwammen
Nun schneller, es wallten die Bäume, die Möwen
Auf den Balkonen, da standen sie, lachten und flochten
Dir nicht mir Federn ins Haar ins gestreckte
Unter den Schultern dein Griff, der Schornstein wärmte den
    Hintern
Schlugen die Fersen den Takt Irgendwem an die Scheiben
Die meinten Hagel, macht nur! sagte das Denkmal
Am Stadtrand die Parks übern Himmel wie Wolken,
    Gestirne
Fielen, kürzlich geprägte, uns in die Hände:
Zwanzig-Pfennig-Stücke. Du liebtest mich aufrecht
Und wie schlotterte ich als schließlich der Tag kam
Den auf dem Pflaster verbringen und schlafen, sonst hilft
    nichts
Verknotet wir beide. Passanten Autos und Flugzeuge
Schlugen, und Straßenbahn S-Bahn und U-Bahn
Bogen um uns. Ein Hauptwachtmeister vertrieb die
Kehrmaschine: du Roß! sagtest du zur Maschine

*Vorortzug*

Mittags riß das Gewölk plötzlich auf, die Sonne
Stand so tief, daß der Schatten des sehr langen Zauns
Sich am Plafond spiegelte, des Zuges, der mit Technik
Uns durch die Mark trug, wir saßen vorn, sahen
Den Schienenweg, Masten, Birken, verrückt glitzerndes Eis
Der Föhn tobte, in der Einflugschneise die Maschinen
Trudelten, doch ich sah mehr seine Augen, die waren
Sehr grün Anfang Februar, Nadelmischwald
Schon aus der Ferne, Verheißung für wenigstens
5 Sommer noch, was dann kommt soll kommen
Er hatte gearbeitet, die Rolle des Staats unterrichtet,
    während ich
Mit einer Mundharmonika über den Friedhof von Babelsberg
    zog. Ich spielte
Auf diesem Ding aus dem Kinderladen vornehmlich
    Spanienlieder
Für die verstorbenen Fleischermeister den verwitweten
    Pfarrer
Es taute, die Dachrinnen barsten, ein Klempner
Schlug die Hände zusammen, wo anfangen, der Schnee
Auf jenem Friedhof war mittels bedeckter Papier-
Rosen schön rot, und dann rannten
Wir jeder in unsre getrennte S-Bahn, die jeden von uns
In einen anderen Stadtteil fuhr zu verschiedener Arbeit.

*Schneeröschen*

Schneehecke türmt sich wächst stündlich
Keiner kommt durch ich befinde mich abgeschnitten
Weg sind die Wege kein Mensch
Schlägt sich durch nur du kannst mich retten

Und ruhst doch
Seitlich auf einen Ellbogen gelehnt
Nah deinem Herde du trauertest schon
Heimlich um mich die noch zu retten
Wäre die Haltung die eingeübte
Schöne Linie das Wohlbehagen
Müßten rasch aufgegeben werden
Ein Spurt durch den Winter und Leben einblasen

– Ist eine Trübsal ich weiß das und rechne
Nicht mehr damit ich schüttle den Schnee auf
Mach eine Höhle fürs Radio leg lang mich
Ein Pedalcembalo
Arbeitet für mich ich seh noch
Den Knopf der Antenne da schließts mir die Augen
Ich fluche
Nicht ob deiner Langmut mir ist sie bekannt
Morgen

Kommst du und schaufelst den Schnee
Tränen im Auge und findest mich nicht
Und schlägst aus dem Eis
Ein Abbild kaufst gläserne Blumen
Mir auf den Sockel den künstlichsten Nachruf
Verfaßt du in einer Nacht der macht dich berühmt
Unter den Eisdichtern des Landes.

*Schneehütte*

Was vom Himmel fällt ist Vorrat genug
Hochhäuser sind Landhäuser
Obwohl mans nicht sieht, das Leben
Notgedrungen spielt sich diesen Winter
Unterm Schnee ab, kommuniziert
Zu den Läden und Schulen und U-Bahn-Stationen
Durch Röhren aus Schnee jeder Sechste verirrt sich

Verdammt! Wir haben Glück gehabt gerade in einem Bett
Als der Überfluß abkam wir hörten Musik, sonst
Hätten wir uns bis Frühjahr niemals gefunden
An Trennung ist nicht mehr zu denken
Dies Leben schafft keiner allein zu viel Niederschlag
Doch wir verlorn unsere Straße
Als wir Brot und einige Flaschen holten

Er schlug einen Raum vor uns auf wir entschieden
Uns für gotischen Stil, die Wölbung gelang die Möbel
Die Hütte alles aus einem Schnee hohe Bücherregale
Die Bücher auswechselbar, wir drucken sie selbst auf
Holzfreies Eis der Druckstock beheizt schon sind
Einige Klassiker fertig jetzt aber Pause die Uhren aufziehn

Und in den Schlafsack der Eskimohund uns auf den Füßen
Mitunter kullert übers blanke Parkett dann war
Die Bewegung zu groß, du laß das Feuer nicht ausgehn
Ich hoffe nur wir liegen nicht aufm See

*Aynn Wintrstück*

seyn seele hat ein hüggelchin
doch ich hab auch zween büggelchen
er führt ein spitzen zungen
weiß mir kein bessren jungen

&ast;

wie silberne klingn
schnob mir die luft ins gesicht
doch immer kömmt eine milderung
wir könnn springn

&ast;

ich hab ein klein gut
und klein geld und klein kind
und keine suppen aufm herd
möcht wissen was morgen ist

&ast;

hat gerade geschneit
da sitzet er weit
bey seynem frauchen
wolln wir nit tauschen

&ast;

der see diesser suppntopf
lieget dazwischen
kann er nit rübergehn
stäubelein wischen

65

&ast;

sitzet inn sein häusgen
guckt aussm fenster raus
glotztn ein sternding an
geht ihm sein pfeifn auss

＊

hat mirn lied gemacht
läuft auf zwey beenlein
will viermal ein brei kriegn
beißt mich inn ellenbogen

＊

zog er eyn ührchen auff
morgens um viere
wir lahn wie zwo weckeleyn
inn weissn papiere

＊

schlug mich vertrug sich
verstug sich vergluot mich
qualmtedr ofn sondergleichen
tanztn winziger regen

＊

sagter mit vollem mundt
willst nit mal abbeissn
kannst auch die truh auffmachn
dir eyne perl holn

＊

unn wenndr wind so zischt
unn die ziegln klappern
hör ich die vögl im hof
gegn die scheybn flattern

&ast;

ich träum ville träume
ich träumm du träummst
du wärst in einn traum
in meiner küche gewesen

&ast;

schnittest vom brodt
dass ein ränftlein blieb
gabst mir einn biss
biss mein mundt wiedr rot

&ast;

springt der Herr Nord
mit wucht aufdr gassen
will ich mit bluomen
dein kopf dir verziern

*Der böse Blick*

Auf die Postille gestützt nah am Herde
Seh ich ihn sitzen, das Aug auf den Knochen
Dessen, das einstmals ein Vogel gewesen ist
Zahm und nicht die bewegliche Sorte
Die uns im Freien den Himmel verschönt.

*Er erzählt mir ohne Absicht im Winter*

Und als ihr siebtes Weihnachten war, stritten sie
        um ein loses Haar.
Es lag auf dem Herd, wo die Pute stand, er nahm
        im Zorn die Pute zur Hand.
Schlug die Frau mit, was die nicht vertrug, tot um-
        fiel, obwohl sie den Vogel buk.
Stille Nacht aus dem Radio, der Mann sah wie es
        schneite, er war nicht froh.
Doch aß er den Braten in seinen Magen, er hat das
        Mordwerkzeug bei sich getragen.
Der Rotkohl glänzte, es fiel ihm ein, die Frau hier
        kann Hausfrau nicht länger sein.
Er hat sie auf freiem Feld in der Nacht zwischen den
        Kohl gestellt, als der Frost geknackt.
Weil sie mit Tüchern behangen war, ein Spatzenschreck,
        hielt sie bis Ende Februar.
Der Mann hat den Vorfall vergessen, als sie kamen
        in seinem Haus gesessen.

*Zuversicht*

Er schläft und schläft.
Ich kann ihn nicht wecken.
Es wächst schon Moos
Aus allen Ecken.
Mein Haar wird groß
Ich wickle ihn ein.
Was soll werden? Es fiel mancher Stein
Ihm auf den Rücken
Ich kann mich nicht bücken.
Ich kann auch nicht warten. Ich pfeife.
Doch aus den Ohren wuchern ihm Büsche und ich begreife:
Will ich seine schönbunten Augen jetzt sehen
Muß ich für Tage vonhinnen gehen.
Erst wird ers nicht wissen.
Später vermissen
Auf wird er springen
Vögel rieseln aussem Hemd
Die werden singen
Indes er sich kämmt
Eilenden Fußes die Berge durchsprengt.
Bald wird er mich finden
Gleich Unter den Linden.

*Muskelkater*

Wir sind in Form und wirklich gut trainiert
Und dennoch bringt das Unmaß der Bewegung
Zierlichen Schmerz Leib Gliedern, ein Impuls
Rasch unsrer Hirne an die Füße lockt
Seufzen aus uns, und wir halten ein:
Das sitzt nun zwischen Schulterblättern, reißt
Wie Rudern unsre Rücken, und die Strecker
Die unsre Arme heben, deuten deutlich
Auf Riesenwellen ganztags Kugelstoßen
Liegestütz und Schwimmen siebzehn Bahnen.
Das uns im Sessel fehlt, das Sitzfleisch, zeigt sich
Sehr beansprucht von so lange im Sattel
Und die Waden, ach, wie nach dem Abstieg
Auf steilem Rollhang im Gebürge, langsam.
Oder Eislauf. Oder wie im Frühjahr
Aufm Rad das erste Mal zwölf Stunden
Und die Straßen schöne lange Straßen
Empfinden wir die Schenkel, und die Finger
Beugen: ist das mühevoll! vielleicht
War das ein Diskus? oder wars der Speerschaft?
Das alles wars und wars auch wieder nicht
Und erinnert, bis zum nächsten Treffen
Uns unsern Leicht-Sinn.

## Der Schnee

Er ließ mich nach seinen frohen Befehlen
Über Pfützen und Rinnsale springen. Die langen Büros
Rahmten den Platz ein, schwarz schwarz
Die Straße, der Fluß, es war warm. K. hatte
Die Handschuh verloren, wir gingen und gingen
Dreimal über den Fluß. Wir rochen nach Rauch
Das Haar wippte schwer und ich fischte
Zigaretten aus meiner Tasche. Schon wieder
Auf einer Brücke – kein Mensch, nur ein Laster
K. lachte und mußte mir die Liebe erklären.
Hinter dem Prinzenpalais ließ er mich warten
Und als wir die Brüder Humboldt trafen
Sagte er «na» und zeigte den linken, der
Damals in F. W. Weitling auswies. Unter der S-Bahn
War die Nacht eine doppelte Falte. So schwarz
Hatte ich niemals die Dinge gesehn, und ich sah
Das auch erst am folgenden Morgen, als Schnee
Daunengleich vorm Fensterbrett stieg.
Über die Schulter sagte ich in die Richtung
Wo K. war: Beigottschnee.

*Ich*

Meine Haarspitzen schwimmen im Rotwein, mein Herz
Sprang – ein Ei im kochenden Wasser – urplötzlich
Auf und es fiel, sprang wieder, ich dachte
Wo du nun wärest, da flogen die Schwäne dieses
Und auch des anderen Spreearms schnell übern Himmel.
Das Morgenrot, das dezemberliche, Bote
Vielleicht frühen Schnees, hüllte sie ein und die Hälse
Verlockung, sich zu verknoten, sie stießen
Fast mit der Kirche zusammen. Ich stand
Auf eigenen Füßen, Proleten unter den Gliedern, ich hätte
Mir gern einen Bärn aufgeladen ein Zopf aufgebunden
Ein Pulverfaß aufm Feuer gehabt.

# Anmerkungen

*Seite 16*  vgl. Markus 6, 17–29. vgl. Brecht *Die Ballade vom Baum und den Ästen:*
«Und sie schießen ihre Pistolen in jeden bessern Kopf ...»

*Seite 26*  Klosterruine Dshwari: in der Georgischen SSR, nahe Tbilissi.

*Seite 29*  Patriarchenteiche: in Moskau; Handlungsort in Bulgakows *Der Meister und Margarita.*
Mandorla: Mandelglorie; mandelförmiger Heiligenschein um die Gesamtfigur bei Christus oder Maria.

*Seite 34*  Mauer in Prag: Während der Weltwirtschaftskrise 1929–1932 suchten bürgerliche Regierungen mit Notstandsarbeiten die Arbeitslosigkeit zu bekämpfen.

*Seite 35*  Der alte Jüdische Friedhof in Prag.

*Seite 37*  Maler Ebert: Albert E. (1906–1976). Lebte in Halle/Saale.

*Seite 40*  Johann Sebastian: J. S. Bach (1685–1750), deutscher Tonsetzer und Orgelspieler.
Bellman: Carl Mikael B. (1740–1795), schwedischer Dichter.
Verlagshaus: er lag in einem Bier-Verlag.

*Seite 49*  Ein Zauberspruch, welcher seine Wirkung verliert, wenn er syntaktisch korrekt, d. h. von der letzten zur ersten Zeile gelesen wird.

*Seite 52*  Lesbos: Wohnort der Dichterin Sappho (7./6. Jh. v. u. Z.).

*Seite 72*  Wilhelm Weitling (1808–1871), deutscher Kommunist.

# Inhaltsverzeichnis

*Katzenkopfpflaster*

© 1974 Langewiesche-Brandt, Ebenhausen bei München

Satz: Gebr. Herzer, München

Druck und Bindearbeiten: Rieder, Schrobenhausen

Printed in Germany